NICOLAS

MATTHIEU

SARAH

MARIE

RADAR

© 2015 Hachette Livre, 58 rue Jean Bleuzen 92178 Vanves Cedex. Tous droits réservés.
Loi n° 49-956 du 16 juillet 1949 sur les publications destinées à la jeunesse.
Dépôt légal : septembre 2015. Rédaction : Anne Marchand Kalicky. Maquette : Antartik.
Achevé d'imprimer en avril 2016 par Canale en Roumanie. Édition 03.

SAUVETAGE EN MONTAGNE

hachette
JEUNESSE

À la caserne, le commandant Steele discute avec Sam dans son bureau. Il veut offrir une photo de toute son équipe au colonel Boyce, un ami qui travaille chez les pompiers depuis 25 ans. Mais Sam fait remarquer que la photo est trop grande pour le cadre.

– Dans ce cas, je n'ai pas le choix. Je ne peux pas garder tout le monde ! Je vais devoir enlever quelqu'un de l'équipe, dit le commandant, une paire de ciseaux à la main. Voyons, le choix va être difficile. Elvis ou Julie ?

De l'autre côté de la porte, Elvis, parti chercher du thé, a entendu le commandant Steele.

– Comment ça Elvis ou Julie ? C'est affreux ! Mais je ne veux pas que Julie parte ! C'est mon amie ! Le commandant Steele a dit qu'il allait renvoyer l'un de nous deux ! Si c'est ce qu'il souhaite, je vais tout faire pour qu'il me renvoie, moi, et qu'il garde Julie !

Elvis décide aussitôt de remplacer le sucre par du sel dans le thé. Et sa plaisanterie n'est pas du goût du commandant Steele.

– Pouah ! Ce thé a un goût horrible ! gronde celui-ci en recrachant sa gorgée.

À l'écart de Pontypandy, dans la montagne, Nicolas et ses amis, Matthieu, Sarah et Marie, vont faire une randonnée pour chercher des fossiles. Ils rejoignent Martin, leur guide.

– Bonjour ! J'espère que vous aimez tous les dinosaures, les enfants !

– J'adore les dinosaures ! répond Nicolas.

— Et les fossiles aussi, ajoute Martin.

Mais Nicolas ne s'intéresse pas aux fossiles. Il veut trouver des os de dinosaures ! Pourtant, Martin lui explique que certains fossiles sont si rares qu'ils peuvent parfois rapporter gros. À l'idée de devenir peut-être riche, Nicolas commence à changer d'avis…

Après quelques minutes de marche, Martin et les enfants s'installent sur le site indiqué par le guide et commencent leurs recherches de fossiles. Bientôt, des petits tas de pierres s'amoncellent aux pieds des jeunes paléontologues.

— J'en ai encore un, regarde ! dit soudain Sarah en montrant son fossile à Martin.

— Oh ! Excellent, bravo ! J'ai l'impression que c'est une espèce d'insecte.

Matthieu vient d'en trouver un autre ! Martin devine que c'est un fossile de plume d'oiseau.

Nicolas croit en avoir trouvé un, lui aussi, mais il ne s'agit que d'un morceau de tourte à la viande oublié par un pique-niqueur négligeant. Nicolas est un peu vexé.

– N'empêche que si on compare chacune de nos trouvailles, j'en ai plus que vous ! crâne-t-il en montrant sa récolte de fossiles.

– C'est super, Nicolas ! dit Marie. Mais tu vas les transporter comment ?

Alors que le petit groupe s'assoit pour déjeuner, Nicolas remarque le sac à dos de Martin.

« Avec un peu de chance, ce n'est pas moi qui vais les transporter… », pense-t-il.

De son côté, Elvis continue de faire des farces : un bruit de guitare assourdissant vient de retentir dans le garage des pompiers.

– J'ai envie de jouer de la guitare. Nettoyer Vénus et Jupiter, c'est ringard ! chante Elvis à tue-tête.

Tout le monde s'interroge : que lui arrive-t-il ?

— Moi, j'ai les nerfs en compote et la compote est brûlée ! peste le commandant.

— Elvis ! Si tu continues comme ça, tu vas perdre ton poste ! chuchote Sam.

Elvis lui répond par un clin d'œil.

Dans la montagne, les chasseurs de fossiles enfilent leurs sacs à dos, prêts à repartir. Mais celui de Nicolas semble bien léger tandis que celui de Martin a l'air plus lourd qu'avant l'heure du déjeuner… Et si Nicolas en avait profité pour y mettre ses fossiles ?

Le pauvre guide essaie tant bien que mal de garder l'équilibre
en se relevant mais soudain, catastrophe ! Il bascule en arrière
et tombe dans une crevasse !

– Martin, tu es blessé ? demande Matthieu, inquiet.

– Non, je crois que non. Mais je suis coincé. Ce n'est pas grave ! J'ai pris mon talkie-walkie.

Oups ! Martin réalise rapidement que, dans la chute, son appareil s'est cassé.

– Et mes fossiles ? Ils ne sont pas cassés ? demande Nicolas, toujours un peu trop égoïste.

Les enfants décident d'aller chercher de l'aide.

– Allons voir Grand-Père ! propose Matthieu. Il pourra prévenir Sam.

Marie et Nicolas restent auprès de Martin tandis que les jumeaux partent chercher du renfort.

– Grand-Père, il y a eu un accident ! s'écrient-ils en arrivant dans le jardin de monsieur Joineau. Martin est tombé dans un ravin et il est coincé entre deux gros rochers.

À la caserne, Elvis continue ses farces. Cette fois, il a caché le casque du commandant Steele. Soudain, l'alarme retentit. Monsieur Joineau vient de prévenir les pompiers. Sam contacte aussitôt Tom. Le pompier pilote monte dans son hélicoptère pour rejoindre le lieu de l'accident. De leur côté, Sam et Julie grimpent dans le camion et foncent vers la montagne.

Les pompiers arrivent sur place en un rien de temps.

– Ne t'en fais pas, Martin, on va te sortir de là ! rassure Sam, penché au bord du ravin.

Le pompier fait signe à Tom de lui envoyer le double harnais et l'enfile rapidement avant de commencer sa descente.

Il arrive enfin près de Martin.

— Ça va, Martin ? Rien de cassé ? demande le pompier. Prends-moi
la main.

— Non, ça ne sert à rien, je suis coincé, répond le guide.

Sam comprend alors que ce n'est pas Martin qui est coincé mais son sac à dos. Le pompier découpe les bretelles et remonte le grimpeur avec le harnais. En haut, Nicolas se désole :

– Et mes précieux fossiles ? Vous les avez laissés en bas avec le sac à dos de Martin !

De retour à la caserne, le commandant Steele félicite son équipe.
— En vous attendant, j'ai résolu mon problème de photo, annonce-t-il.
Je me suis procuré un cadre plus large. Comme ça, je n'ai plus besoin
de couper quelqu'un !

Elvis réalise soudain son erreur ! Il explique alors à l'équipe pourquoi il a agi si bizarrement toute la journée.

– Bien, je suis ravi de cette explication ! Pourrais-je récupérer mon casque maintenant ? demande le commandant.

– Oui ! Enfin, non… Je veux dire… Désolé, Chef ! J'ai complètement oublié où je l'ai caché ! Les pompiers éclatent de rire. Sacré Elvis !

LE CONSEIL

Ne pars jamais seul en randonnée.
Suis les conseils d'un guide
expérimenté et veille à emporter
le bon équipement : gants,
chaussures, casque, cordes,
balise de détresse, téléphone…
Vérifie également que les lieux
sont sécurisés.

DE SAM LE POMPIER

SAM

JULIE

Cdt STEELE

ELVIS

TOM